SOMMAIRE

ORNEMENT JAPONAIS

LES ÉDITIONS
DU CARROUSEL

© L'Aventurine, Paris, 1998
© Media Serges, Paris, 1998
ISBN 2-7456-0021-4

AVANT-PROPOS

Il ne faut pas supposer que l'art des Japonais, ardents admirateurs de la nature et pleinement réceptifs à la richesse décorative des fleurs, du feuillage et des paysages de leur pays, soit uniquement basé sur l'observation de la nature...

La puissance des effets artistiques, la facilité désarçonnante de l'exécution, la beauté des couleurs et la délicatesse du trait, tout se conjugue en une merveilleuse transcription de la nature. Pris séparément et examinés par un œil critique, les objets dessinés, qu'ils soient des oiseaux, des fleurs, des feuilles ou des insectes, seraient jugés malformés, mal proportionnés et mal construits selon les critères européens. C'est justement dans ces « défauts » que résident les plus grandes qualités des artistes-décorateurs japonais. Les arts décoratifs ne souffrent pas une fidélité absolue envers la nature. Les copistes en manque d'imagination ne peuvent jamais devenir de véritables artistes. L'essence même de l'art décoratif réside dans son pouvoir de styliser la nature tout en retenant la quintessence de l'objet représenté et c'est en cela que les Japonais excellent par-dessus tout.

Dotés d'une étonnante rapidité de perception et d'un toucher délicat, ces artistes parviennent à saisir et à reproduire les caractéristiques du monde vivant. La calligraphie à elle seule suffit à leur permettre une grande facilité d'exécution car tous les idéogrammes sont écrits à l'aide d'un pinceau qu'ils utilisent depuis leur plus tendre enfance. L'artiste japonais apprend à dessiner comme il apprend à écrire. Il ne se place pas en face d'un modèle ou d'un objet en s'efforçant de le représenter tel quel. De la même façon que, par une répétition constante, il apprend à former les innombrables idéogrammes compliqués de sa langue, il apprend à dessiner certains motifs et formes conventionnels en copiant ou en se basant sur des modèles repris du passé. Cette méthode même permet aux artistes d'interpréter la nature plutôt que de la reproduire.

Extrait de :

Thomas W. Cutler. *A Grammar of Japanese Ornament.*

LES FLEURS

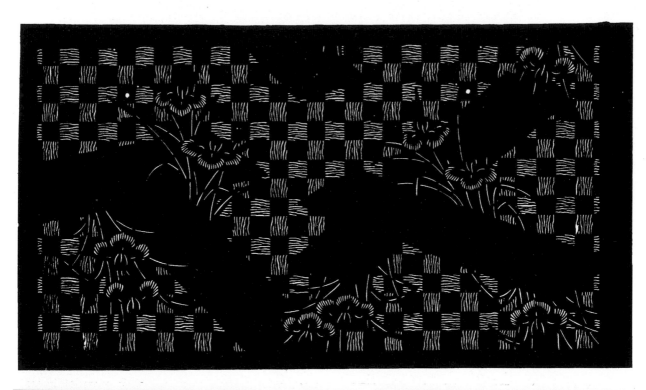

LES ANIMAUX

34

流に
鮎

LES MERVEILLES
DE LA NATURE

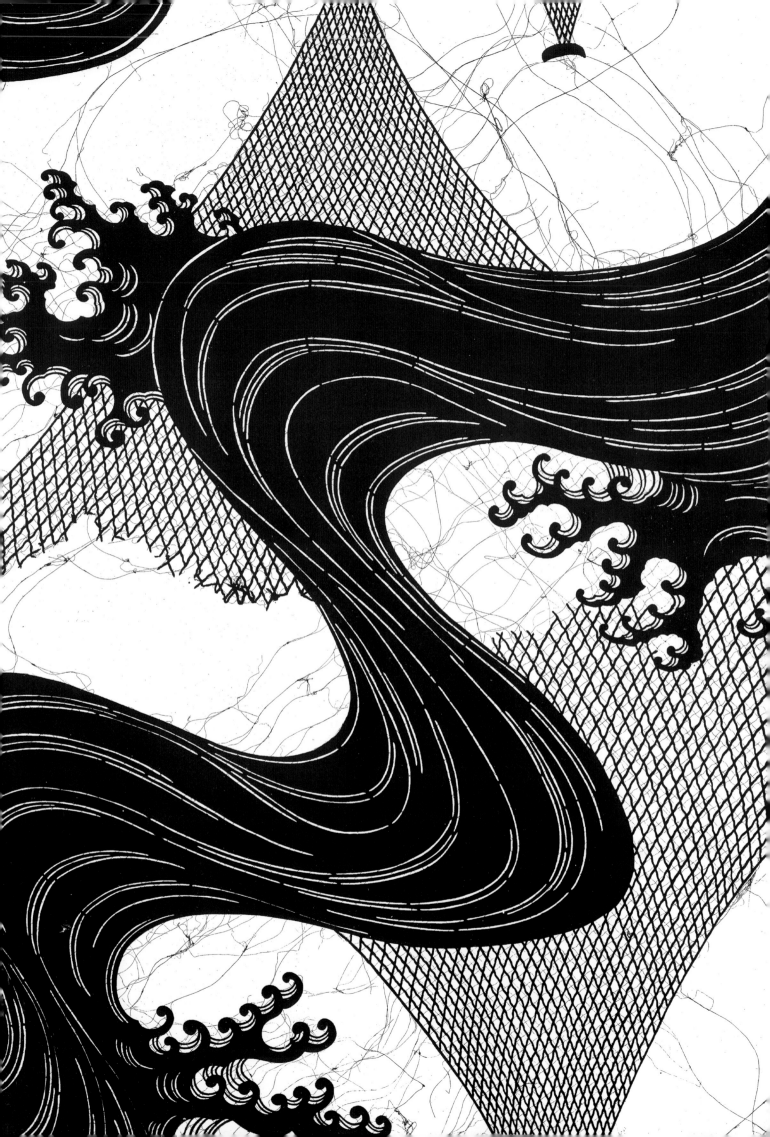

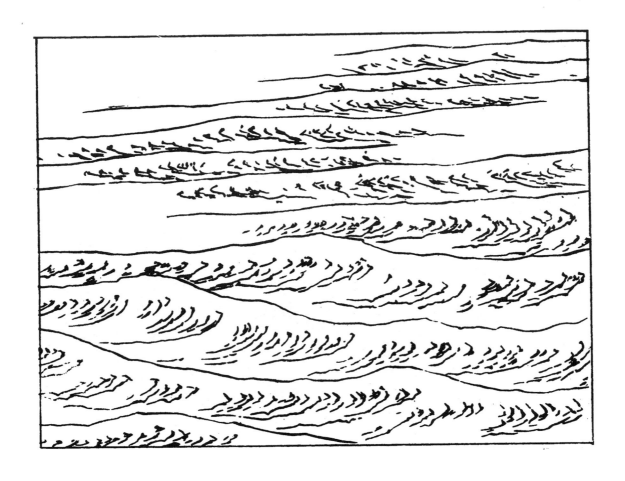

71

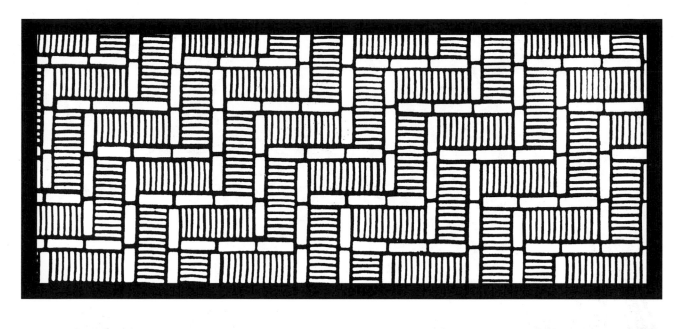

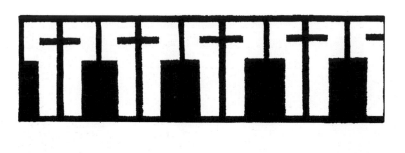

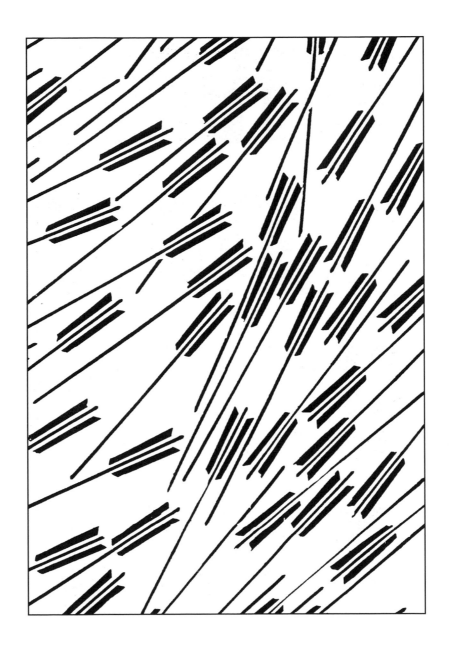

BIBLIOGRAPHIE

AUDSLEY, George Ashdon. *The Ornamental Arts of Japan*,
Sampson Low, Martson, Searle and Rivington, London, 1882.
CUTLER, Thomas W. *A Grammar of Japanese Ornament and
Design*, Batsford, London, 1880.
Étoffes de soie du Japon, Henri Ernst Éditeur, Paris, circa 1900.
Japanische motive für Flächenverzierung, Verlag der Blätter für
Architektur und Kunsthandwerk, Berlin, s.d.

Achevé d'imprimer
en Septembre 1998
sur les presses de l'imprimerie
Grafedit — Azzano San Paolo, Italie
Dépôt légal 4ᵉ trimestre 1998